Santa Cruz del Valle de los Caídos

José Luis Sancho

REALES SITIOS DE ESPAÑA

© PATRIMONIO NACIONAL, 2004
Palacio Real de Madrid
Bailén, s/n
28071 Madrid
Tel. 91 547 53 50

© De los textos: José Luis Sancho Gaspar

N.I.P.O.: 006-05-059-5
I.S.B.N.: 84-7120-255-7
(1ª ed.; 5ª imp.)
Depósito Legal: M-44959-2005

Coordinación y producción: ALDEASA
Diseño y maquetación: Myriam López Consalvi
Fotografías: Patrimonio Nacional, Félix Lorrio*
Fotomecánica: Lucam
Impresión: Artes Gráficas Palermo, S.L.

Ilustración de portada: La Cruz y la entrada posterior
a la Basílica*
Ilustración de contraportada: La Cruz desde el acceso
a la Basílica

Impreso en España, *Printed in Spain*

Contenido

Presentación

EL PATRIMONIO Nacional es el organismo que administra los bienes del Estado al servicio de la Corona para realizar las funciones de representación que la Constitución y las Leyes le encomiendan.

Se trata de un conjunto de Palacios, y de Monasterios y Conventos de fundación real, de la mayor importancia histórica, artística y cultural, por encima de la cual destaca su *valor simbólico*. Los Palacios Reales de Madrid, El Pardo, Aranjuez, San Ildefonso y La Almudaina son edificios con el uso residencial y representativo para el que fueron construidos siglos atrás. En ellos Su Majestad el Rey ejerce sus funciones solemnes como Jefe del Estado, particularmente en el de Madrid, donde el *valor simbólico* alcanza su plenitud en cuanto residencia oficial de la Corona.

Compatibles con aquellas funciones, los edificios y bienes de otra naturaleza que integran el Patrimonio Nacional tienen una definida vocación cultural que se proyecta a través de su apertura al estudio, la investigación, y la visita pública.

Tanto los edificios como las Colecciones Reales españolas (compuestas de 27 epígrafes temáticos diferentes, desde abanicos a herramientas, pasando por plata, pintura, tapices, mobiliario, instrumentos musicales, relojes, etc.) se distinguen por características que hacen del Patrimonio Nacional una institución cultural única en el mundo: la *particularidad de uso*, ya que su utilidad representativa para la Corona sigue vigente; la *autenticidad histórica*, ya que son piezas encargadas, adquiridas o regaladas en su momento, para ese lugar; la *originalidad*, marcada por la ausencia de réplicas e imitaciones; y su *extraordinario valor* artístico, histórico y simbólico.

La comprensión de estas características permite al visitante percibir que el Patrimonio Nacional es mucho más que un museo.

Los Palacios Reales españoles se encuentran rodeados de espacios verdes, que en la actualidad miden aproximadamente 20.500 hectáreas; unas 500 corresponden a huertas y jardines, y 20.000 a masa forestal. Se reparte ésta entre El Pardo, La Herrería y Riofrío, y parcialmente es visitable por el público. Su importancia ecológica dentro del biotipo *bosque mediterráneo* (el mayoritario) es notoria, y no desmerece en su ámbito con la de los monumentos en torno a los cuales se encuentra.

Los Reales Monasterios y Conventos de fundación real están atendidos desde su creación por las mismas Órdenes religiosas, excepto San Lorenzo de El Escorial, que como consecuencia de las desamortizaciones del siglo XIX pasó de la Orden jerónima a la de San Agustín. Tienen una importancia especial en la historia de España, pues su origen se debe a patronazgos particulares de los Reyes.

Además de su finalidad cultural, el propósito de la visita pública es contribuir a que cada español capte el valor simbólico de lo visitado, se identifique con él y sienta ser legatario del inmenso tesoro histórico y artístico que constituyen los bienes que componen el Patrimonio Nacional.

Reunidos a lo largo de los siglos por la Corona, su influencia en la identidad cultural de España ha sido, y es, decisiva.

Introducción

La Sierra del Guadarrama, que separa las provincias de Madrid y Segovia, ofrecía ya siglos atrás grandes atractivos a los Reyes españoles. Por ello alberga monumentos tan evocadores del antiguo poderío internacional de la Corona de España como El Escorial y La Granja de San Ildefonso. Está cargada de referencias históricas de las que caben variadas lecturas.

La carretera que sale desde el Real Sitio de San Lorenzo de El Escorial hacia Guadarrama era el camino por donde transitaba la comitiva regia cuando, al acabar la "jornada" de verano en La Granja de San Ildefonso, la Familia Real se trasladaba a El Escorial para pasar la "jornada" de otoño, a primeros de septiembre. Viniendo de El Escorial queda a mano derecha *Campillo*, posesión comprada por Felipe II y ahora particular, y enseguida, a la izquierda, la entrada al hermoso paraje de la sierra de Madrid llamado **Cuelgamuros**. Si se viene desde Madrid por la autopista, un desvío en el km. 47 conduce a esta carretera, y de inmediato aparece a la derecha este acceso. Pero ya desde varios kilómetros antes resulta visible, en un espléndido fragmento panorámico, la poderosa figura de la *Santa Cruz*.

En efecto, es en Cuelgamuros donde, por un Decreto de 1 de abril de 1940, se decidió levantar el Monumento en homenaje a los caídos en la guerra civil que había terminado el año anterior. Del sentido religioso con que se concibió esta magna obra de aquel Régimen, de su emplazamiento y de su objeto resulta su nombre: la Santa Cruz del Valle de los Caídos.

Su origen, su creación, e incluso, en muchos detalles, la forma de este proyecto se deben a Francisco Franco, Jefe del Estado español desde la citada guerra civil (1936-1939) hasta su muerte en 1975, y que fue sepultado aquí.

La Cruz y la entrada a la Basílica desde una de las estaciones del Vía Crucis. ▲

Se creó la "Fundación de la Santa Cruz del Valle de los Caídos" como un patronato del Jefe del Estado, bajo la custodia del Patrimonio Nacional, en virtud del Decreto fundacional de 23 de agosto de 1957. La Ley de 1982 que regula el Patrimonio Nacional, Organismo encargado de la gestión de los bienes del antiguo Patrimonio de la Corona y de la administración de los Patronatos Reales, ha mantenido por el momento el Valle de los Caídos bajo esta dependencia administrativa.

La historia del Valle, que ha sido bien estudiada por Daniel Sueiro, rebasa la significación de su diseño arquitectónico o las particularidades técnicas de su construcción, expuestas por Méndez, en su libro *El Valle de los Caídos. Idea, proyecto y construcción,* Fundación de la Santa Cruz del Valle de los Caídos, Madrid, 1982.

El arquitecto a quien hay que considerar autor de la mayor parte de lo construido fue Diego Méndez, que asumió la dirección de la obra en 1950, pero es preciso destacar que le precedió en el encargo Pedro Muguruza Otaño, cuyo proyecto se iba ejecutando hasta que una enfermedad le apartó del trabajo en 1949. Para la Cruz tampoco se llevaron a cabo los proyectos de Muguruza, ni ninguno de los anteproyectos de otros arquitectos presentados al concurso de 1941, sino el de Méndez, que también reformó el edificio levantado por Muguruza como Monasterio y construyó enfrente el nuevo.

Sobre el papel del arquitecto en el Valle puede decirse que la elección de Méndez se debe a su carácter de discípulo y ayudante de Muguruza, y colaborador suyo en la obra del Valle, y a que demostró que era un arquitecto activo, correcto, pulcro en las obras de los Sitios Reales, especialmente en la restauración del Palacio y ampliación del pueblo en El Pardo, donde contaba con Adolfo López

Durán como arquitecto auxiliar. Pero en gran parte, el Valle es una creación personal de Francisco Franco, pues suya fue la idea del monumento coronando la roca donde se abriría la cripta sepulcral de los caídos; suyo el programa de la Abadía y el Centro de Estudios Sociales, tras eliminar la primitiva idea de que hubiese además un cuartel de milicias; suya la elección del emplazamiento; suyas las decisiones acerca de mil detalles a lo largo de la obra y, en fin, suyas la elección tanto de los diversos proyectos para la Cruz como de los arquitectos.

El Valle, como obra de arquitectura, se caracteriza por el empleo de diversos lenguajes históricos mezclados con formas del lenguaje arquitectónico expresionista reciente. El Valle resulta unitario sólo de una manera relativa, debido a que las grandiosas intenciones concebidas en el poder –tan a menudo aficionado a la arquitectura– se vieron plasmadas aquí con el auxilio de diversos profesionales y a través de vacilaciones durante años. El carácter sucesivo de las intervenciones de los arquitectos en los diversos elementos del conjunto produce una cierta independencia entre las partes que lo integran. Sin embargo, la obra fue concebida con voluntad de grandeza, como pone de manifiesto la enormidad de sus dimensiones y materiales: la Cripta o iglesia subterránea tiene 260 metros de longitud; la Cruz, 150 metros desde su base y 300 desde la explanada de acceso.

El conjunto impresiona por su afán monumental, por su tamaño y por la "belleza positiva" de la obra de cantería, pues, como dijo uno de los artesanos que trabajaron en él, la piedra era entonces un lujo, pero ahora lo es mucho más. Durante toda la década de los cincuenta los canteros de los cercanos pueblos de la Sierra se emplearon a fondo. Llegaron a

La Cruz, obra de Méndez. ▲   11

Vista general de la fachada posterior de la Santa Cruz del Valle de los Caídos. ▶

ser tres mil los operarios activos al efecto, en la labra del granito, por cuyo color puede distinguirse su procedencia: el del propio Valle es pardo, más oscuro que el grisáceo de Alpedrete, mientras que el que se extrajo de la zona más cercana a Segovia tiende a azulado.

La construcción se inició en 1941 y se concluyó en 1959. Se inauguró de modo oficial el 1 de abril de aquel año, pero ya se había abierto al público el 1 de agosto del año anterior. Desde entonces, junto a los antiguos Sitios Reales, ha constituido una de las grandes atracciones turísticas de las cercanías de Madrid.

El coste total de las obras, según Diego Méndez, ascendió a 1.086.460.331 pesetas de entonces, pero como esta cantidad resulta de la suma de las invertidas en un lapso de casi veinte años, con el consiguiente flujo en el valor de la moneda, se ha estimado equivalente a 5.500 millones de pesetas de 1975. Una parte difícilmente evaluable de este total fue sufragada mediante los donativos que se habían recibido para la guerra.

Varios rasgos del Valle le otorgan un carácter ancestral: su situación en medio de un bosque, el templo-hipogeo, la posición sobre una montaña, la construcción misma de tan enorme "cruceiro" en el camino que desde la capital conduce a Galicia, tierra natal del promotor... Ancestral es incluso el nombre de "el Valle" que ahora damos a este paraje presidido por el "Risco de la Nava" ("nava", en la lengua de los antiguos iberos, significaba, precisamente, valle). Subraya este carácter ancestral el sentido romántico con que está tratado el paisaje, que aparece presidido y dotado de contenido por un signo ideológico. La Cruz se integra en el Guadarrama, que es un paraje identificado ya en la literatura y en la ideología nacionalista del primer tercio del siglo XX con la esencia de España, pues sus masas

graníticas se identificaban con la osamenta y con la viejísima materia fundamental de la península. No puede extrañar, por tanto, que se escogiese este lugar cuando surgió la idea de construir un monumento nacional a los caídos durante la guerra civil de 1936-1939, en la que resultaron vencidas las Fuerzas del Gobierno de la Segunda República Española. En todos los pueblos y ciudades de España se levantaron entonces monumentos a los caídos, con sus nombres inscritos alrededor o a los pies de cruces representadas en lugares bien visibles, pero como máxima expresión de este homenaje surgió este Monumento Nacional a los Caídos; sólo en 1958 se especificó que podían también ser enterrados aquí los caídos que habían combatido a favor de la República, con tal de que fuesen católicos.

La finca de Cuelgamuros en la que está enclavado el Monumento tiene una extensión de 1.377 hectáreas y fue objeto de una extensa repoblación forestal a partir de 1941. Aunque un gran incendio en el verano de 1963 marcó una importante pausa, esta tarea continuó adelante, de modo que la riqueza forestal del Valle lo convierte en un paraje paisajístico notable. En la actualidad estos bosques están bajo los cuidados del ICONA, y no es posible transitar por ellos en prevención de incendios. Sin embargo, sus magníficas vistas pueden gozarse desde todas las carreteras que unen el acceso al Valle, la Basílica, el Monasterio, el poblado donde residen los empleados, y desde la base de la Cruz.

El acceso

EL ESPECTACULAR paisaje granítico del Guadarrama ofrece en Cuelgamuros uno de

sus parajes más hermosos y pintorescos. En la abrupta orografía de la finca, cuyos niveles oscilan entre los 985 y los 1.758 metros de altitud, se yerguen varias elevaciones, entre las que destaca el llamado "Altar Mayor" –coronado por una de las capillas del Vía Crucis– y, sobre todo, el Risco de la Nava, de 1.400 metros. Esta pirámide natural aparece cristianizada por el monumento que constituye el emblema de la Basílica subterránea horadada bajo ella, la Santa Cruz.

El sentido cristiano del Monumento de la Santa Cruz del Valle de los Caídos es la Paz, pero ha de ser entendido dentro de la alianza que durante aquellos años mantuvieron en España la religión y el poder. Este máximo monumento es el último eslabón de la cadena de templos grandiosos propiciados por la alianza entre la Iglesia y la burguesía

conservadora en España desde mediados del siglo XIX y de los monumentos militar-nacionalistas de esa etapa. El Centro de Estudios Sociales, creado en virtud del Decreto-Ley de 23 de agosto de 1957, que establece la Fundación de la Santa Cruz, responde a esta misma alianza.

El conjunto monumental presenta alguna de sus mejores vistas desde la carretera de acceso al Valle hasta la gran escalinata que da paso a la explanada ante la Basílica.

En medio de este trayecto, entre los pinos, como advertencia de la solemnidad del lugar y referencia al esplendor de la España imperial del siglo XVI, se levantan, flanqueando el camino, los cuatro *juanelos*. Estos monolitos graníticos, de metro y medio de diámetro, once de altura y cincuenta y cuatro toneladas de peso cada uno, fueron

Vista de la Cruz*. ▲

labrados en las canteras de Orgaz (Toledo) presuntamente para un artilugio mecánico que había de construir el famoso Juanelo Turriano, cremonés, relojero del Emperador Carlos V, y que no se llevó a cabo. Permanecieron en la cantera, sin terminar de labrarse alguno de ellos, hasta que se trajeron aquí a partir de 1949, erigiéndose por fin en 1953 en su actual emplazamiento, tras quedar desechada la idea de colocarlos a la entrada misma del Valle, o en la de la Cripta. A la derecha de los *juanelos*, según entramos, empieza el Vía Crucis, visitable sólo previo permiso.

El Vía Crucis muestra cómo la Naturaleza y la Arquitectura se infunden sentido mutuamente en El Valle, que "obedece a la sugestión de un paisaje y no es ninguna unidad ni ninguna creación arbitraria, sino un conjunto disperso de elementos arquitectónicos subordinado al hecho natural..." (Cirici). La obra arquitectónica pretende dotar de un sentido humano –cristiano– al paraje, pero plegándose a su grandiosidad. El Vía Crucis fue, por ello, quizá la parte predilecta del Monumento para Muguruza, pero quedó sin acabar cuando éste murió, y aunque dejó proyectadas todas las capillas, sólo llegaron a construirse cinco, todas inspiradas por el estilo arquitectónico de Felipe II: la primera, segunda, quinta, octava y décima de las catorce estaciones del Calvario. Desde todas ellas son admirables las panorámicas del Valle. Entre la segunda y la tercera estación se disfruta de una hermosa vista hacia la primera y Madrid; desde la cuarta y la quinta se puede contemplar muy bien la Casa de Campillo; desde la sexta es ya plenamente visible la Cruz, la explanada ante la Basílica, y la octava estación; ésta corona el risco llamado el *Altar Mayor*. La vista es aquí espléndida en todas las

direcciones. A partir de este punto dejan de ser continuos tanto los peldaños como el enlosado del camino, y se pone de manifiesto que este bello proyecto no llegó a concluirse. Para seguir este camino, que acaba en el poblado, no sólo son necesarias dos horas, buenas piernas y prudencia en algunos parajes –los cortes abruptos a partir de la octava estación hacen que sea totalmente desaconsejable ir con niños– sino solicitar un permiso a la Delegación del Patrimonio Nacional en El Escorial.

Desde el Vía Crucis se disfrutan también espléndidas vistas de la antigua propiedad real de Campillo, que fue comprada por Felipe II al Duque de Maqueda, señor de este pequeño pueblo, para utilizar los terrenos como coto de caza, y la residencia ducal como posada en el camino entre El Escorial y Guadarrama, durante sus viajes hacia los cazaderos segovianos de Valsaín. En 1596 hizo reformar la torre señorial del siglo XV, y creó así en ella "una vivienda para su persona y criados, que en poco sitio se hizo mucha comodidad. Es en forma cuadrada, sin patio" (Fray José de Sigüenza). Se combinaron el volumen de la primitiva torre fuerte de la época de los Reyes Católicos y la ordenación regular de las ventanas, típicamente escurialenses. El edificio se conserva en muy buen estado, pero no es visitable por haber pasado a propiedad particular en el siglo XIX. Desde el Vía Crucis del Valle hay unas espléndidas vistas de toda esta antigua propiedad real.

Según se continúa en automóvil por la carretera, más adelante, un largo *viaducto* salva la hendidura del Valle, y permite abarcar en toda su amplitud el anfiteatro que forma el pinar, con la Cruz sobre el Risco de la Nava en el centro; no se puede parar en el puente, pero apenas pasado éste hay un

pequeño mirador para que algún coche pueda detenerse y contemplar el conjunto de la Cruz y la entrada a la Basílica y, al otro lado del tajo, las dispersas capillas del Vía Crucis.

Eludiendo la carretera que va al Monasterio, a la Hospedería y al Centro de Estudios Sociales, situados tras el Risco de la Nava –ver p 56–, se continúa hacia la derecha en dirección a la Basílica y al funicular.

Tras dejar el vehículo en alguno de los aparcamientos podemos bien tomar el funicular para subir a la Cruz, que es lo más agradable de la visita –ver p. 56–, o bien seguir la carretera hasta el pie de la gran escalinata, de cien metros de ancho, cuyos dos tramos ascienden a la explanada de acceso a la Cripta o Basílica.

Tan colosal obra se llevó a cabo en unos años muy difíciles por el estado del país tras

Arriba, los Juanelos. ▲   17
Abajo, la Cruz *y la entrada a la Basílica desde una de las estaciones del Vía Crucis.*

la contienda, por la Guerra Mundial y por los problemas derivados del aislamiento que se produjo al terminar ésta. Pese a todo, los trabajos fueron avanzando, con la adjudicación de diversas partes, en sucesivos concursos, a diferentes empresas. Estos contratistas empleaban como trabajadores, pagándoles, a aquellos presos de guerra que optaban por acogerse al sistema de "redención de penas por el trabajo", según el cual pudieron canjear hasta seis días de pena por uno de trabajo, si bien la regla general era de tres por dos.

El exterior de la Cripta

LA EXPLANADA, de más de treinta mil metros cuadrados, se terraplenó con parte del material extraido al ensanchar la Cripta.

La gran escalinata frontal de cien metros de ancho que conduce a ella tiene dos tramos de diez peldaños graníticos, número que simboliza los Diez Mandamientos.

Aunque en principio Muguruza había pensado formar ante la Cripta un vasto lago en forma de cruz, rodeado de tumbas, y en el que se reflejase el gran monumento, sus ideas definitivas no eran muy diferentes de las que finalmente se materializaron aquí en 1952, bajo la dirección de Méndez, a cargo de la empresa Huarte.

Por el contrario, la fachada varió mucho entre los proyectos de ambos arquitectos. Muguruza, que en principio quiso respetar el pintoresquismo del lugar, conservando un gran peñasco que estaba donde se encuentra ahora la mitad derecha de la exedra, acabó realizando el semicírculo completo. En otro de sus proyectos los muros curvos, sin arcos,

La Cruz desde la explanada de acceso a la Basílica*. ▲

EL VALLE DE LOS CAÍDOS

están articulados con altos contrafuertes coronados por estatuas. Una vez tomada la decisión de hacerlos con arcos como ahora se ven, Muguruza concluyó los muros de la exedra antes de apartarse de la dirección de las obras en 1949.

El arquitecto Pedro Muguruza falleció el 3 de febrero de 1952. Tres años antes había tenido que dejar de dirigir las obras, y le sustituyó una Junta de Dirección. Por ello incluso la Cripta, que él llegó a dejar totalmente proyectada y en su mayor parte excavada, sufrió una variación radical en su forma definitiva. Ya en 1951, José María Muguruza, hermano del primer arquitecto del Valle, Pedro Muguruza, opinaba, en declaraciones a Daniel Sueiro, publicadas en 1974, respecto a la Cripta de Muguruza en obras, que sólo tenía once metros de alto: «"A esto le faltan dimensiones. Esto da la sensación de que entramos en un túnel. Aquí hay que profundizar…".

"Mi hermano proyectaba que la cripta fuese en la misma roca... sin cantería y sin nada, y eso se vio luego que no podía ser, porque caían piedrecitas... o piedrazas, y entonces se hizo la bóveda de cantería, como obra arquitectónica humana. Luego ya mi hermano se puso enfermo de parálisis. Entonces Diego Méndez no intervenía en nada; mi hermano le tenía afecto. Diego Méndez es un hombre muy activo, un hombre que vale... y mi hermano le confió todo. Pero seguramente mi hermano no se hubiera sentido satisfecho de cómo quedó el monumento. Porque ha añadido unas cosas y ha quitado otras..."».

Méndez respetó la ordenación del hemiciclo, rematado en dos pilonos, a partir de los cuales se extienden alas rectas, pero lo convirtió en una galería. Para ello picó la roca e hizo practicables los arcos de medio punto

▲ *Arriba, las puertas de bronce en la entrada de la Basílica, por Fernando Cruz Solís. Abajo, detalle.*

que Muguruza había planteado como rehundimientos ciegos que animasen el muro con sus sombras y con los marcos de huecos fingidos. Méndez cambió así el tratamiento del monte, que de ser un bloque compacto con una sola oquedad, la de entrada a la Cripta, pasó a aparecer horadado en su base. Antes de llegar a esta solución se consideró la de rellenar los arcos con grandes bajorrelieves. El fondo de los arcos de la galería, en mármol negro, se concibió para poner en letras de bronce los nombres de los caídos allí enterrados, pero esto no se llevó a efecto.

El elemento central, la puerta de entrada a la Basílica, fue lo primero que Méndez proyectó en el Valle como arquitecto incorporado a la dirección de las obras en 1949, y se llevó a cabo en 1950. Para este punto Muguruza había concebido una portada de tipo románico, con abundante estatuaria.

Desde el arranque de la escalinata –de quince peldaños y sesenta y tres metros de anchura– que sube desde la explanada hasta la Cripta puede apreciarse el gran grupo escultórico (de cinco metros de alto y doce de largo) en piedra negra de

La Piedad, *por Juan de Ávalos, sobre la entrada a la Basílica.* ▲   21

Calatorao, de *La Piedad*, obra de Juan de Ávalos. Fue su segunda versión del tema, pues la primera, cuando ya estaba colocada, fue rechazada al ser considerada excesivamente patética.

La vista, tanto de esta escultura como de las de la Cruz desde este punto, pone de relieve el deseo de que las representaciones fuesen figurativas, pero su volumen, su vigor y su textura, ajenos a todo sentido académico, habían de lograr una armonía con los peñascos naturales, de modo que sirviesen como transición entre los riscos y las formas rectilíneas de la arquitectura. Ésta era la intención de los responsables de la obra, y en especial del arquitecto que, para transmitir estos conceptos, empleaba palabras como "salvaje", "monstruoso" y "tremendo".

En las *puertas* de bronce, de diez metros y medio de altura, se representan los quince misterios del Rosario y, debajo, los doce Apóstoles, cada uno con el artículo del Credo que la tradición le atribuye. Las realizó el escultor Fernando Cruz Solís, propuesto por Ávalos, y ganador del concurso de modelos convocado al efecto en 1956.

La Cripta

LA CRIPTA, elevada al rango de Basílica por Juan XXIII, el 7 de abril de 1960, presentó las mayores dificultades técnicas en su construcción. Desde el principio se concibió con dos elementos principales: el eje de acceso –nave o túnel– y el amplio espacio central o crucero. Muguruza, que en principio pensaba hacer este espacio en forma de cruz, proyectó una nave con la roca vista, de once metros de anchura y de altura, que ya estaba perforada

Vista general de la nave, desde la reja. ▲

en su totalidad en 1949, pero el resultado no le pareció a Franco tan grandioso como esperaba, concluyendo que la falta de efecto respondía a las dimensiones escasas de la nave en su encuentro con el crucero. En consecuencia, Méndez redactó en 1950 un nuevo proyecto –llevado a cabo desde junio de aquel mismo año– cuyos principios fundamentales consistían en dividir el ámbito de la nave en espacios diversos, para evitar la sensación de túnel estrecho, y en ampliar las dimensiones del principal de ellos. Así, el túnel tiene dos partes: una primera de acceso, escindida en tres zonas –vestíbulo, atrio y espacio intermedio–; y otra segunda, que llamaremos nave, cuya altura y anchura es de veintidós metros, con tres capillas a cada lado. Otro espacio intermedio de tres tramos separa la nave del crucero; en éste hay sendas capillas al fondo de los brazos laterales, y el coro de los frailes en el tramo de nave del testero. El concepto de la rotonda es de Muguruza; y el diseño de los detalles, de Méndez, como el de toda la nave.

La ampliación en altura de la nave se realizó eliminando roca, tanto por la parte superior como por el pavimento, de forma que éste queda dos metros más bajo que el del atrio. El proceso para conseguir este ensanche, avanzando por tramos mediante muros de contención, fue muy laborioso, como complicados los problemas de cálculo de la estabilidad de las masas rocosas horadadas, que ejercían desiguales presiones no sólo en sentido vertical, sino también lateral. Para hacerles frente, Méndez abandonó por completo el pintoresco rupestrismo anhelado por su antecesor y construyó los grandes arcos fajones que, como los muros y la bóveda, están formados de hormigón revestido de cantería. Tras este ensanche, concluido en agosto de 1954, la longitud total de la Cripta resultó de doscientos sesenta y dos metros, y su altura en la nave de veintidós, once en el vestíbulo y cuarenta y uno en el crucero.

El *vestíbulo* carece, como el atrio, de otra decoración que no sea la articulación de sus paredes con fajas y pilastras, y se trata de un ámbito de acogida, por lo que se encuentra en él la tienda de regalos y recuerdos.

En el espacio entre el vestíbulo y el atrio hay, en sendos nichos, dos arcángeles vigilantes, obra de Carlos Ferreira, cabizbajos y con la espada firmemente empuñada e hincada en tierra, pues, como quiso el arquitecto, "celosos de la honra de la casa de Dios, montan guardia permanente en solemne advertencia a los que entran". En la pared izquierda del atrio una inscripción conmemora la inauguración del Monumento, y la elevación de la Cripta al rango de Basílica menor por Juan XXIII.

Al bajar los ocho escalones que, desde el atrio, conducen a la nave, se encuentra la gran *reja*, idea inspirada en las grandes obras de este género del siglo XVI en España, y que se debe a José Espinós Alonso. Los cuatro machones aparecen en sus dos caras poblados por santos, cuya policromía destaca con fuerza sobre el hierro negro, y la coronación del conjunto está adornada con emblemas militares y religiosos, con Santiago a caballo en el centro, y ángeles. La presencia de cuatro santos dominicos en un lugar destacado hizo pensar que Méndez pretendía que fuese esta Orden a la que se encomendase el Monasterio.

Santos representados en la reja

EN LA fachada hacia el vestíbulo, de arriba abajo y de izquierda a derecha: San Marcos,

La reja, por José Espinós Alonso, vista desde la nave. ▶

San Mateo, San Lucas, San Juan, San Juan Crisóstomo, San Vicente, San Lorenzo, San Francisco Javier, San Andrés, Santa Cecilia, San Simón, San Francisco de Asís, San Millán, San Antonio Abad, San Magín, San Jorge, San Gregorio, Santa Juana de Arco, Santiago y San Francisco de Borja.

En la fachada hacia el Altar Mayor, de arriba abajo y de izquierda a derecha: San Antonio, San Frutos, San Francisco de Paula, Santo Domingo de la Calzada, San Macario, San Eduardo, San Luis, San Mauricio, San Ignacio de Loyola, San Fernando, San Pablo, San Agustín, Santo Tomás, San Juan de la Cruz, Santa Teresa, Santo Domingo de Guzmán, San Hermenegildo, San Pedro, Santa Bárbara y San Esteban.

La *gran nave* tenía que haberse decorado con dos grandes relieves a cada lado: uno de

▲ *Arriba,* Virgen del Pilar *y* Virgen de Loreto, *ambas de Ramón Mateu.*
Abajo, capilla de los Desposorios de la Virgen, *con pinturas de Lapayese.*

héroes, y otro de mártires; conforme a esta idea, pero tras haber descartado el materializarla en bajorrelieves, se hizo luego un encargo al pintor boliviano Reque Merubia, cuyos bocetos, que se conservan en el Archivo General de Palacio, tienen 50 metros de largo. Finalmente, se colocaron aquí los tapices del Apocalipsis, y de ello, y de la necesaria división del espacio mediante los arcos fajones, surgió la articulación llevada a cabo. Es recomendable recorrerla sin mucha detención y fijándose primero en las advocaciones de las capillas e imágenes que se especifican a continuación, para dar luego otra vuelta desde el principio de la nave con el fin de observar con detalle los *tapices del Apocalipsis* –ver p. 28–.

La nave está dividida en cuatro tramos mediante pares de arcos fajones. A uno y otro lado se abren capillas, seis en total,

consagradas a diversas advocaciones de la Virgen, representadas en grandes bajorrelieves sobre el ingreso al respectivo santuario. Se distribuyen así, según avanzamos:

- *Inmaculada*, patrona del Ejército de Tierra, por Carlos Ferreira (derecha).
- *Virgen de África*, por Carlos Ferreira (izquierda).
- *Virgen del Carmen*, patrona de la Armada, por Carlos Ferreira (derecha).
- *Virgen de la Merced*, patrona de los cautivos, por Lapayese (izquierda).
- *Virgen de Loreto*, patrona del Ejército del Aire según la piadosa tradición del traslado milagroso en volandas por los ángeles de la Casa de la Sagrada Familia desde Nazareth a Loreto, por Ramón Mateu (derecha).

Tríptico de La Anunciación, *por Lapayese.* ▲

– *Virgen del Pilar*, patrona de la Hispanidad, por Mateu (izquierda).

Todas las obras que adornan estas capillas se deben a la familia Lapayese. A los dos José Lapayese, padre e hijo, se deben los trípticos y frontales pintados sobre cuero al modo de los viejos cordobanes y guadamecíes españoles. Los temas representados en cada uno de dichos retablos son los siguientes, visitados según el mismo orden progresivo, y de derecha a izquierda, en el que se han expuesto los bajorrelieves marianos:

– Primera a la derecha, la *Asunción de la Virgen*.
– Primera a la izquierda, la *Anunciación* en el tríptico, y en el frontal el *Nacimiento de Jesús*.
– Segunda a la derecha, los *Desposorios de la Virgen* en el tríptico, y en el frontal el *Tránsito de la Virgen*.
– Segunda a la izquierda, la *Epifanía*.
– Tercera a la derecha, la *Huida de la Sagrada Familia a Egipto* en el tríptico, y en el frontal la *Visitación*.
– Tercera a la izquierda, el *Tránsito de la Virgen* en el tríptico, y en el frontal la *Presentación de Jesús en el Templo*.

En las esculturas de alabastro distribuidas por parejas en estas seis capillas, y que representan los doce Apóstoles, intervino otro hijo de José, Ramón Lapayese.

Los tapices del Apocalipsis

ENTRE ESTAS capillas cuelgan los ocho grandes tapices del *Apocalipsis* (cinco metros y medio de alto por ocho setenta de ancho), copia de los tejidos en Bruselas por Guillermo Pannemaker para Felipe II. Los originales, que pertenecen a la magnífica Colección del Patrimonio Nacional, estuvieron aquí colgados antes incluso de la inauguración del monumento en 1959, pero la humedad del recinto perjudicaba su conservación. Este problema quedó por fin obviado mediante su sustitución por copias realizadas a lo largo de diez años (1966-1975) en los actuales talleres de Industrias Artísticas Agrupadas. Los paños de Pannemaker volvieron así a su lugar, el Museo de Tapices en el Palacio Real de La Granja de San Ildefonso. También son modernas las cenefas, salvo las de los dos más cercanos al crucero, que son de la tapicería de José, David y Salomón, tejida en la Real Fábrica de Santa Bárbara, bajo la dirección de Corrado Giaquinto, para el Palacio Real de Madrid, durante los reinados de Fernando VI y Carlos III. La historia de la tapicería del *Apocalipsis* ya fue accidentada en el siglo XVI: Felipe II mandó comprarla en 1553, pero, cuando se trajo a España en 1559, seis de los ocho paños desaparecieron en el naufragio del barco que los transportaba a Laredo. El Rey ordenó a Pannemaker que volviese a tejer los perdidos, y la tapicería completa estaba ya en Madrid en 1562. Los cartones se atribuyen a Bernard van Orley. Poco antes, este Libro profético, que es una fuente de gran importancia para la iconografía cristiana medieval, había inspirado una serie de grabados a Alberto Durero.

La relevancia de la magna serie de tapices original, la calidad de la copia y la complejidad iconográfica de estas escenas, hace precisa su explicación.

El orden que aquí exponemos es el del desarrollo de la serie, que se atiene fielmente al texto apocalíptico. Para seguirla en la

Arriba, San Juan en Patmos, *primer paño de la serie de tapices del Apocalipsis*.* ▲

Abajo, Comienzo del Juicio Final, *segundo paño de la serie de tapices del Apocalipsis.*

Basílica, baste señalar que hay que ir pasando de la pared derecha a la izquierda, pues los tapices impares están en el lado izquierdo, y los pares en el derecho.

1. *San Juan en Patmos.* (Desde I, 9 hasta V,7):

San Juan Evangelista, desterrado por Domiciano en la isla de Patmos, experimenta las visiones proféticas que constituyen el *Libro del Apocalipsis:* así está representado a la izquierda junto a su animal simbólico, el águila.

En su primera visión, Cristo se le aparece en gloria rodeado de siete lámparas, con el libro del Evangelio en la mano izquierda y la espada de doble filo saliendo de su boca, y siete estrellas en la mano derecha, y le dice al evangelista que lleve los siguientes mensajes a cada una de las siete iglesias de Asia, simbolizadas aquí por siete ángeles: a Éfeso, que practique la caridad; a Esmirna, la constancia; a Pérgamo, la perseverancia en la fe; a Thyatira, el celo en la defensa de la ortodoxia; a Sardica, que combata la pereza; y a Filadelfia, la perseverancia en el bien. Se ha interpretado que cada una de las citadas iglesias representa uno de los siete estados de la Iglesia militante universal, y a cada una de ellas se refiere cada uno de los dones del Espíritu Santo: sabiduría, fortaleza, ciencia, consejo, entendimiento, piedad y temor de Dios. De esta manera, el mensaje profético no se referiría tanto a una situación histórica concreta como a las actitudes y dificultades del Cristianismo en su realización mundana.

En la mitad derecha del tapiz, San Juan contempla a Cristo entronizado y rodeado del arco iris, del *Tetramorfos* y de los veinticuatro ancianos. El *Tetramorfos* está formado por cuatro seres, llenos de ojos y con seis alas, que constituyen los símbolos de los cuatro evangelistas: el *ángel* de San Mateo, el *león* de San Marcos, el *toro* de San Lucas y el *águila* de San Juan.

Cristo, con siete lámparas en torno, lleva en su mano un libro con siete sellos que contiene la revelación de lo que ha de venir.

El ángel que se dirige al evangelista exclama: "¿Quién es el digno de abrir el libro y levantar sus sellos?" y Juan ve entonces sobre el libro un cordero con siete cuernos y siete ojos, que se dispone a abrirlo: en ese momento los veinticuatro ancianos y todos los seres se postran cantando alabanzas.

2. *Comienzo del Juicio Final.* (Del VI al VII, 8):

Cuando el Cordero abre los cuatro primeros sellos aparecen los *Cuatro jinetes* que devastan la humanidad: el hambre, la peste y la guerra surgen en el ángulo superior izquierdo, escoltados por el *Tetramorfos*, y debajo el cuarto jinete, la muerte.

Al levantar el quinto sello, los mártires, a quienes los ángeles visten con ropajes celestes sobre el ara de Dios, piden venganza.

Cuando el Cordero levanta el sexto sello, el Sol, la Luna y las estrellas caen destruyendo la Tierra, que tiembla, y las gentes intentan salvarse en los montes. Pero los ángeles, encabezados por uno de ellos que lleva la Cruz, símbolo de la redención, sujetan a los vientos y claman que no se asole la Tierra hasta que no sobrevenga el señalar a los elegidos, 144.000 de todas las tribus de Israel, a los que un ángel está marcando con la señal de la redención en la frente.

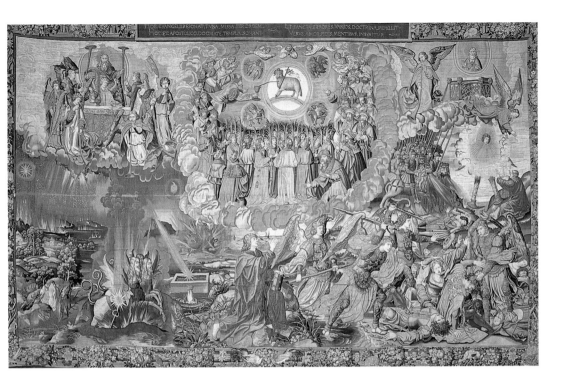

Arriba, Destrucción de la humanidad por las plagas, *tercer paño de la serie de tapices del Apocalipsis.* ▲

Abajo, Levantamiento del séptimo sello, *cuarto paño de la serie de tapices del Apocalipsis*.*

3. *Destrucción de la humanidad por las plagas, y Adoración del Cordero.* (Del VII, 9 al X, final):

Entonces el evangelista ve una muchedumbre incontable de todas las naciones, postrada ante el trono con vestiduras blancas y palmas en las manos, que clamaba: "la salvación se debe a N.S. que está sentado en el Solio, y al Cordero". Estos, que son los mártires, aparecen representados en el centro del tapiz. San Juan, de rodillas, contempla la Apoteosis del Cordero, cuya sangre se vierte en un cáliz.

Cuando el Cordero abre el séptimo sello se produce un silencio grande, tras el cual surgen siete ángeles con trompetas; al sonar éstas sobrevienen los siete desastres que preludian el Juicio Final. Arriba, a la izquierda, se ve a Dios Padre repartiendo a los ángeles las trompetas, cuyos efectos se representan en el resto del tapiz: una lluvia de fuego y sangre cae sobre la Tierra; el Sol y la Luna están oscurecidos; una montaña ardiente y una estrella se precipitan en el Mar, de donde surgen extraños monstruos con cuerpo de caballo, cabeza de hombre, dientes de león y cola de escorpión; los cuatro ángeles exterminadores del Éufrates atacan a la tercera parte de la humanidad, sobre la que se lanza también un ejército, cuyos caballos tienen cola de serpiente y cabezas de león que echan fuego y azufre. La voz de Dios, por mano de un ángel, envuelto en una nube y con pies de fuego que se apoyan sobre el Mar y la Tierra, entrega a Juan un libro.

4. *Levantamiento del séptimo sello, aparición de la Mujer vestida de Sol, y de la Bestia.* (De principio del XI hasta el XII, 5):

En el lado izquierdo aparece la visión de San Juan relativa al encargo que recibe para medir el Templo con la palma que el ángel le da, y a la historia de los profetas Enoch y Elías, quienes, tras cumplir su predicación, son aplastados por la Bestia y luego ascienden a los cielos en el centro del tapiz, con gran espanto de los impíos.

La Gloria está representada cuando el séptimo ángel toca la trompeta, y los ancianos se postran clamando: "El reino de este mundo ha venido a ser de nuestro señor y de su Cristo, el cual reinará por los siglos de los siglos, amen".

Se abre entonces el templo celeste de Dios, con el Arca de la Alianza, y aparece una mujer que está a punto de dar a luz, vestida de Sol, con la Luna debajo de sus pies, y en su cabeza una corona de doce estrellas.

Un dragón con siete cabezas coronadas con diademas y diez cuernos quiere devorar al hijo según nazca, pero el Señor, mediante un ángel, toma para sí este varón que había de regir las naciones con cetro de hierro.

Al fondo, Babilonia queda destruida.

5. *Combate contra la Bestia.* (Del XII, 7 hasta el XIV, 5):

La mujer vestida de Sol consigue escapar gracias a las alas de águila que recibe de San Miguel: esta escena se ve en el centro, y a la izquierda se representa la batalla entre la Bestia y sus demonios, y Miguel y sus ángeles. La Bestia es vencida, pero sigue persiguiendo a la mujer. Al fondo surge entonces del Mar otra bestia, como la anterior, con varias cabezas sobre las que aparece el nombre de blasfemia; y otra bestia salida de la Tierra termina por conseguir que toda la Tierra adore a la primera.

Arriba, Combate contra la Bestia, *quinto paño de la serie de tapices del Apocalipsis.* ▲
Abajo, Triunfo del Evangelio, *sexto paño de la serie de tapices del Apocalipsis.*

Estas bestias son semejantes a leopardos, pero con piel de oso y boca de león. La primera es el espíritu del Mal, que da su fuerza y atributos a las otras; la segunda, una de cuyas cabezas tenía una gran herida, pero que parecía curada, simboliza la apostasía y la idolatría. La tercera representa a Roma, y en especial al Emperador Diocleciano, cuyo dominio arrollador se expresa en primer término a la derecha.

Juan contempla entonces al Cordero sobre el monte Sión, y a los 144.000 elegidos adorándole y cantando.

Cristo en majestad, con el *Tetramorfos* y los veinticuatro ancianos, domina todas las escenas.

6. *Triunfo del Evangelio.* (Del XIV, 6 al XVI, 10):

El ángel, en el ángulo superior izquierdo, muestra el Evangelio a los humanos para inculcarles el temor de Dios mientras, en el centro, los impíos son atormentados con fuego y azufre en presencia de los ángeles y el Cordero. En lo alto, Cristo, con una hoz en la diestra, dispone el Juicio Final, simbolizado en las alusiones al trigo y a la vid como el tiempo para la siega y la vendimia de la tierra por el Señor. Sobre una nube, una de las figuras del *Tetramorfos* –el león con la cabeza aureolada por un nimbo que simboliza a San Marcos– da a los ángeles la orden de arrojar las siete últimas plagas a la Tierra, al Mar y a las Fuentes.

7. *Las bodas del Cordero.* (Desde el XVI, 10 hasta el XIX, 19):

Los ángeles derraman las tres últimas copas de las plagas sobre el aire, el Éufrates y el trono de la Bestia, cuyo reino queda lleno de tinieblas, y Babilonia destruida. Las tres bestias –que se identifican en el quinto tapiz– arrojan espíritus inmundos al Éufrates, junto a cuya orilla está sentada Babilonia, la gran meretriz, que ofrece a los reyes de la Tierra, embriagados a sus pies, el cáliz de las abominaciones, repleto de sangre.

En el centro, al fondo, la gran meretriz está envuelta en una llamarada, mientras el ángel arroja al Mar la piedra de molino.

Sobre ella, Cristo en majestad sentado en su gloria, rodeado por el *Tetramorfos* y los veinticuatro ancianos, celebra la destrucción de Babilonia.

Debajo, el banquete de bodas del Cordero con la Iglesia.

El ejército de Cristo sigue al Salvador que, entronizado en la fuente de agua viva, exhala de su boca la espada llameante de la Palabra Divina. Debajo está Babilonia que, sentada sobre la Bestia, levanta la copa de las abominaciones.

8. *Triunfo de la Iglesia sobre el demonio encadenado en el Paraíso.* (Desde el XIX, 19 hasta el final del capítulo XXII):

El ejército de Cristo, sobre caballos blancos, combate a la Bestia de siete cabezas que simboliza a las potencias infernales, y la vence; un ángel la ata y la encadena. Otro ángel muestra al evangelista una fortaleza torreada, símbolo de la Iglesia triunfante, y sobre ella la Apoteosis de Cristo.

El Padre Eterno cobija bajo su manto a la Jerusalén celeste. Debajo, los elegidos son separados de los condenados en las fauces del Infierno.

Arriba, Las bodas del Cordero, *séptimo paño de la serie de tapices del Apocalipsis**.

Abajo, Triunfo de la Iglesia sobre el Demonio, *octavo paño de la serie de tapices del Apocalipsis**.

Último tramo de la nave antes del crucero

En el último tramo de la nave antes del crucero se disponen a cada lado cuatro grandes figuras que, ataviadas como los plañideros en los sepulcros de la baja Edad Media, contribuyen a advertir del carácter de mausoleo de personalidades que tiene el crucero.

Representan a los Ejércitos de Tierra, Mar y Aire y a las respectivas milicias, y se deben a Luis Antonio Sanguino y a Antonio Martín, quienes se esmeraron en el contraste entre la textura áspera de los paños y las pulidas formas anatómicas.

El crucero

La obra del crucero se llevó a cabo mediante otra contrata y, por así decirlo, separadamente de la de la nave, pues se adjudicaron a empresas distintas y tenían incluso accesos diferentes: al crucero se entraba por el túnel que lo comunica con la explanada posterior, y que es por donde llegan los monjes desde el Monasterio. En el crucero, Méndez modificó con idéntica libertad el proyecto de Muguruza, y le otorgó un aire herreriano mediante el empleo de grandes pilastras dóricas, pero con toques ajenos a tal historicismo, como los grandes arcos torales abocinados y con dovelas muy sobresalientes. Las proporciones del crucero empequeñecen sus dimensiones objetivamente grandes. El comportamiento tectónico de la masa rocosa horadada no sólo con esta gran cavidad, sino con las capillas, enterramientos y tránsitos anejos, originó muchos problemas para calcular su previsible respuesta y para efectuar la consolidación necesaria mediante hormigonado. Para formar esta cúpula, Méndez introdujo acertadamente, dentro de la gran oquedad hemisférica abierta en la montaña, un cascarón de membrana (33 metros de diámetro), separado dos metros de la roca hormigonada y trasdosado con tela asfáltica, de tal modo que todas las aguas se vierten en un conducto diametral y el mosaico que adorna el intradós de la cúpula está libre de humedades. Este sistema no se llevó a la práctica en la nave, porque la intención consistía en dejar la roca vista para que destacase el carácter de la Cripta cobijada en el corazón de la montaña. Puesto que toda la bóveda, y en especial los arcos fajones, va hormigonada, tal efecto era difícilmente posible, y en la práctica se aplicaron lajas de piedra entre los arcos de hormigón revestidos de cantería, para simular esa apariencia. Méndez veía así anulada la pureza arquitectónica de los muros tal y como la había concebido.

Las grandes hornacinas entre las pilastras quedaron ocupadas por cuatro grandes esculturas en bronce, de ocho metros de altura, debidas a Juan de Ávalos y que representan a cuatro arcángeles: tres de ellos, con la mirada vuelta hacia lo alto, son generalmente conocidos: *Miguel, Gabriel* y *Rafael*, mientras que es preciso recordar el simbolismo del nombre del cuarto, *Azrael* –el que conduce ante Dios las almas de los muertos– para explicar que aparezca con la cabeza velada y baja, en una actitud semejante por cierto a la del primer modelo de Ávalos para la *Piedad*, que fue rechazado. En estas obras del crucero, más quizá que en ninguna otra obra de Ávalos en el Valle, se perciben los rastros de su formación en el arte *Déco* de los años treinta.

El gran *mosaico* que decora la cúpula es una obra singular por su mérito y por su superficie. Se debe a Santiago Padrós, que

Último tramo de la nave de la Basílica; al fondo, el crucero y el Coro. ▶

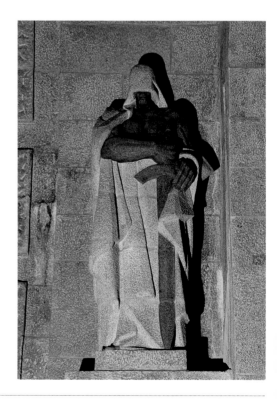

▲ Alegorías de las Fuerzas Armadas, *por Luis Antonio Sanguino y Antonio Martín, en el último tramo de la nave.*

El crucero, con el Altar Mayor. ▶

tardó cuatro años en sentar las más de cinco millones de teselas. La imagen de Cristo en majestad aparece como figura central, rodeado de ángeles sobre varios grupos de santos y mártires. A la derecha de esta representación, la gran figura del Apóstol Santiago encabeza la procesión de un copioso número de santos españoles, entre los que se pueden identificar Isidoro, Domingo de Silos, Domingo de Guzmán, Raimundo de Peñafort, Ignacio de Loyola y Teresa de Jesús; a la izquierda, San Pablo preside otro nutrido grupo de mártires, muchos de ellos españoles también. A ambos lados, sobre los arcos laterales del crucero, surgen otros dos grupos de anónimas figuras que son, propiamente, los caídos: en el de la derecha se representa a los héroes –en la parte inferior se ven las banderas y otros detalles alusivos al combate en que cayeron–, en el de

la izquierda, a los mártires religiosos y civiles. La Virgen, frente a Cristo, preside otros grupos que también se dirigen hacia Dios.

Bajo la cúpula, el *Altar Mayor* está presidido por un gran *Cristo crucificado*, esculpido por Beobide y policromado en parte por su maestro Ignacio Zuloaga. Quedó colocado aquí el 16 de abril de 1957. El enebro con que está hecho el madero de la cruz fue escogido por Franco en la sierra segoviana, y talado en su presencia. La *mesa de altar* tiene bajorrelieves en chapa dorada labrados por Espinós con las escenas del *Santo Entierro* y la *Sagrada Cena*.

Al pie del Altar, del lado de la nave, se encuentra la tumba de José Antonio Primo de Rivera, marqués de Estella y fundador del partido Falange Española, en torno a cuya ideología se aglutinaron las Fuerzas que

---

▲ *Arriba, los arcángeles* Miguel, *a la izquierda, y* Gabriel, *a la derecha, por Juan de Ávalos.*
◄ *En la doble página anterior,* Cristo en Majestad, *mosaico sobre el crucero, por Santiago Padrós.*

Arriba, los arcángeles Azrael, *a la izquierda, y* Rafael, *a la derecha, por Juan de Ávalos.* ▲ 43
Abajo, Cristo en majestad, *detalle del mosaico en la cúpula del crucero, por Santiago Padrós.*

derrocaron a la Segunda República Española.
Sus restos fueron trasladados a este lugar
desde la Basílica del Monasterio de
El Escorial el 29 de marzo de 1959, tres
días antes de la inauguración oficial de la
Cripta.

Al lado opuesto del Altar, hacia el Coro,
está la tumba del General Francisco Franco
Bahamonde, Jefe del Estado hasta su
fallecimiento el 20 de noviembre de 1975. La
tumba, sin embargo, se había dejado ya
preparada con anterioridad a 1959. En los
brazos laterales del crucero están situadas las
capillas del *Santísimo Sacramento*, a la
izquierda, y a la derecha la del *Santo Entierro:*
en ésta, que es la última estación del Vía
Crucis, extendido por el paisaje del Valle, hay
un Cristo yacente flanqueado por la *Virgen* y
San Juan, obras de Ramón Lapayese, en
alabastro. El mosaico de la bóveda, por
Santiago Padrós, representa el *Descendimiento,*
mientras que en la capilla del *Santísimo* es la

▲ *La Virgen María*. Detalle del mosaico en la cúpula del crucero, por Santiago Padrós.

Conjunto del crucero, con el Altar Mayor y el Coro. ▲   45

El Coro. ▶

▲ *Capilla del Santo Entierro.*

Resurrección el tema del mosaico realizado por Victoriano Pardo.

El Coro

LA SILLERÍA para los monjes tiene planta semicircular y consta de setenta sitiales distribuidos en tres niveles. Su adorno, tanto arquitectónico como escultórico, es clasicista y se debe a los Lapayese, que la tallaron en madera de nogal y limoncillo; los relieves superiores representan escenas de las Cruzadas. De los dos sillones de honor, el del abad lleva en el respaldo una imagen de San Benito, y el otro, la de San Francisco, en alabastro.

La Cruz

PARA SUBIR hasta la base de la Cruz ha de tomarse el funicular, instalado años después de haber sido inaugurado el monumento.

La Cruz significa un gran logro técnico por el vuelo de los brazos, de 40 metros. Ésta fue la parte del conjunto en torno a la cual se sucedieron mayor número de proyectos y vacilaciones. Se planteó en 1941 un concurso nacional de anteproyectos al que se presentaron veinte, alguno de ellos muy notable. Ni Muguruza ni Méndez participaron en este concurso.

El concurso de anteproyectos para la Cruz se falló el 22 de febrero de 1943 ante un tribunal del que formaban parte, entre otros, Francisco Íñiguez Almech y Luis Gutiérrez Soto: "Se eliminaron los proyectos de Del Valle, Fernández de Heredia, Romero, Pericas, Robles y Redondo por no ajustarse a las bases. Se consideraron desacertados los de Fernández Shaw, García de Alcañiz, Pigrau, Ricart, Illanes, Arrate, Blanch, García Ochoa, Cárdenas Valentín y Casulleras. Se consideraron bien resueltos y bellos, pero mal

encaminados, los de Olasagasti y Francisco y Manuel Prieto Moreno. Acertados los de Barroso; de Muñoz Monasterio y Herrero Palacios; de Moya, Huidobro y Thomas; de Feduchi; de García Lomas, Roa y Quijano; y de Corro, Faci y Bellosillo. De todos ellos se destacaron los de Moya y colaboradores y Corro y colaboradores, el primero como primer premio y éste como segundo". Por otra parte, era muy notable el proyecto de Francisco Cabrero, que acababa de realizar justamente al regreso de su viaje de estudios a

Italia, y que Muguruza no le dejó presentar porque no tenía aún el título de arquitecto.

Fue premiado el de Luis Moya, Enrique Huidobro y Manuel Thomas, pero tampoco terminó de convencer, y se pidió a Muguruza una nueva solución. Hasta su separación de las obras, este arquitecto hizo al menos dos anteproyectos, de los que se conserva maqueta, pero tampoco se resolvió a su favor. Al asumir la dirección en 1949 la Junta, formada por Méndez, Mesa y Prieto Moreno, y puesto que se reveló difícil el acuerdo entre los tres para formar un proyecto conjunto, se les encargó que cada uno presentase el suyo. Así se hizo el 6 de enero de 1951, y fue aprobado el de Méndez.

Cuando Méndez diseñó la Cruz tomó algunas ideas de sus competidores, por ejemplo del segundo premio del concurso (anteproyecto de Corro, Faci y Bellosillo) para las formas del basamento; pero en general se separó de ellos al estilizar las formas de la Cruz, dándole una sección de cruz griega en el fuste y brazos.

La construcción de la Cruz se prolongó desde 1950 hasta 1956 por la empresa Huarte, adjudicada en 33.661.297 pesetas. Los problemas estructurales se concentraron sobre todo en el basamento, realizado con sólidos anclajes sobre una masa compacta de hormigón armado; en la realización del fuste, que se hizo sin andamios, edificando y trasdosando desde dentro mientras ascendía la construcción; y en el montaje de los brazos, de armazón metálica a base de triángulos, que fue ensayado primero a ras del suelo. En este proceso el arquitecto contó con la asesoría de los ingenieros Ignacio Vivanco y Carlos Fernández Casado, cuya contribución fue esencial para el cálculo de la estructura.

▲ *Las* Virtudes *en la base de la Cruz, por Juan de Ávalos: la* Fortaleza *y la* Templanza*.

La Cruz. En primer término, San Mateo, *por Juan de Ávalos.* ▶

En el resultado definitivo del monumento proyectado por Méndez fueron esenciales las obras escultóricas de Ávalos, admirables por su descomunal escala. Cuatro figuras se albergan en los ángulos entrantes del basamento de la Cruz, y otras cuatro, más arriba, en los del arranque del fuste. Aquellas representan los *Cuatro Evangelistas*, y éstas las *Cuatro Virtudes Cardinales*. Todas estas esculturas se hicieron ampliando a una escala gigantesca el sistema tradicional en los talleres de este arte para obtener copias o ampliaciones a partir del modelo del maestro: el "sacado de puntos". Una vez realizados los modelos pequeños para su aprobación, Ávalos hacía otros a mucha mayor escala. De estos se sacaban los dibujos acotados que, por un sistema de coordenadas, permitían precisar cuál había de ser la posición de cada piedra. Así, éstas iban siendo asentadas en hiladas horizontales, sujetas al armazón interior de hormigón. El propio Ávalos destacó la pericia de algunos de sus ayudantes en esta tarea del "sacado de puntos", artesanos mediadores entre la idea del artista y el resultado material.

Cada uno de los *Cuatro Evangelistas* aparece representado sobre su respectivo símbolo: *Mateo* sobre el ángel, *Marcos* sobre el león, *Lucas* sobre el toro y *Juan* sobre el águila. En el modelo inicial para este último, el escultor propuso representarlo con luengas barbas, que no llegaron a realizarse y, tal como quedó, fue la escultura que más complació a Méndez. La diferencia de criterio entre el escultor y el arquitecto, sobre el grado de refinamiento que se había de mantener en la colocación de las hiladas de piedra, puede observarse comparando el *San Marcos*, terminado muy al gusto de Ávalos, con gran cuidado, de manera que se advierten muy poco las juntas de la piedra, y el *San Lucas*, donde la prisa del contratista por rematar la obra ayudó, con no pocos disgustos para el escultor, a conseguir el efecto final de "rusticidad" deseado por el arquitecto y en el que no acababa de creer Ávalos.

El presupuesto inicial de Ávalos ascendía a poco más de ocho millones de pesetas, según se recoge en declaraciones de Juan de Ávalos a Daniel Sueiro en *La construcción del Valle de los Caídos*, editada por Sedmay, en Madrid, en 1976: «Y entonces Diego Méndez me dijo: "Hombre, mire usted, si le parece bien, completamos novecientas mil pesetas más y son los nueve millones". De manera que yo firmé el contrato para hacer nueve estatuas de la tremenda dimensión que tienen las del Valle con unos honorarios de novecientas mil pesetas. Esto, además, sin cobrar por la dirección de la obra de colocación, porque luego, como las dimensiones de estas estatuas son tan grandes y tan importantes, había que hacerlo por coordenadas. Por hiladas horizontales. Y yo había resuelto esto y lo había despiezado de tal manera que con coordenadas se podía hacer muy bien, sin gente que supiese en absoluto de escultura, nada más que siendo fieles a las medidas... y me encontré con que tenía que organizar un taller de modelación y ampliación donde había que modelar las figuras a su tamaño definitivo. Porque (Méndez) me decía: "Usted nada, no se preocupe, modele las obras a la décima parte, luego se amplían, aunque sean rústicas, no importa". Y yo, en eso del rusticismo, en arte, no creo. Hay rupestrismo, pero en el siglo XX el rusticismo no me gusta... Tuve que enseñar y educar a la gente para hacer yo mis bocetos y mis ampliaciones, que se hacían muchas de ellas a su tamaño definitivo. Tengo fotografías de las cabezas que están modeladas con cuatro metros cincuenta. Por ejemplo, en *La Piedad*, que me la modelé a su tamaño invertí 35 toneladas de barro».

Arriba, a la izquierda, San Juan Evangelista*, *y a la derecha,* San Marcos. ▲
Abajo, las Virtudes *en la base de la Cruz:* la Prudencia *y la* Justicia. *Todas ellas por Juan de Ávalos*.*

LA CRUZ

●

55

Las representaciones de las *Cuatro Virtudes Cardinales*, la *Prudencia*, la *Justicia*, la *Fortaleza* y la *Templanza*, que adornan el arranque del fuste, están realizadas bajo formas masculinas.

Ávalos presupuestó inicialmente todas estas esculturas en nueve millones de pesetas, pero los imprevistos que fueron surgiendo según iba llevando adelante una tarea tan ambiciosa hicieron que se incrementase posteriormente, y que se ofreciesen al escultor algunas ayudas complementarias, de modo que entre varios conceptos acabó recibiendo cerca de diecisiete millones que, incluso teniendo en cuenta la variación del valor de la moneda, no es una cantidad excesiva.

Hasta lo alto de la Cruz asciende, por el interior del fuste, una escalera de caracol y un ascensor que, por sus pequeñas dimensiones, no pueden estar disponibles para el público; pero sin necesidad de llegar hasta ese vértice, sino desde la propia base de la Cruz, es posible admirar las lejanas perspectivas de la Sierra y de la llanura que va bajando hasta la Capital, y las más cercanas vistas de los pinares que pueblan Cuelgamuros. Desde aquí se divisan las construcciones levantadas en torno a la gran explanada posterior, hasta la que se puede bajar a pie por una escalinata, disfrutando del paisaje rocoso.

El funicular

EN 1975 se planteó la construcción de un funicular exterior para facilitar a los numerosos visitantes el acceso a la base de la Cruz sin tener que subir necesariamente a pie. Diego Méndez se opuso y protestó en su libro *El Valle de los Caídos. Idea, proyecto y construcción*, contra esta ruptura del sentido

original del risco; sin embargo, el funicular está bien integrado en la entalladura original.

La intervención fue dirigida por Ramón Andrada.

La explanada posterior y sus edificios

TRAS EL Risco de la Nava, donde está asentada la Cruz, se extiende una vasta explanada de 300 por 150 metros, flanqueada por dos alineaciones de 33 arcos que unen los edificios de la Abadía benedictina, junto al Risco, y del Centro de Estudios Sociales, al extremo opuesto.

El Monasterio, inicialmente construido por Muguruza entre 1942 y 1949, fue rechazado por los benedictinos a causa de la excesiva distancia que los separaba de la Basílica, y Méndez hubo de construir nuevos edificios para la Abadía y la Escolanía similares al de Muguruza, y unidos a él por largas arquerías que se inspiran hasta cierto punto en las de la Plaza de Armas del Palacio Real de Madrid. Tal fuente revela hasta dónde habían variado los puntos de referencia del clasicismo oficial. Los monjes benedictinos ocuparon este Monasterio en virtud de un contrato, formalizado el 29 de mayo de 1958, y en el que se especificaba que su número debía ser como mínimo de veinte profesos, que habían de ocuparse de mantener con esplendor el culto, dirigir a este efecto una escolanía de cuarenta niños, que recibirían aquí educación, organizar ejercicios espirituales y encargarse de la gestión de la Hospedería y de la dirección del Centro de Estudios Sociales. El primer abad de este

Monasterio benedictino fue, entre los años 1958 y 1967, Don Justo Pérez de Urbel, quien dedicó especial cuidado a la Escolanía, cuya calidad ha sido muy apreciada desde entonces.

Dentro de este extenso conjunto, el Monasterio construido por Muguruza resulta interesante por su valor como ejemplo de la estética oficial del momento. La comparación de los detalles de este edificio con los del frontero de Méndez indican cómo el gusto de este arquitecto había sido influido por la estética borbónica de los Sitios Reales. En el edificio construido por Muguruza y destinado inicialmente a Monasterio se encuentra el Centro de Estudios Sociales, que contiene una gran aula para reuniones, biblioteca, varias salas para trabajo de grupo y seminarios, salón de juntas, y una hospedería.

La puerta a la Basílica es una versión simplificada de la principal, dejando más patente la inspiración egipcia, y retomando en los muros laterales el motivo de los contrafuertes (aquí más aplanados) de la primera exedra proyectada por Muguruza. Tras este acceso, un vestíbulo conduce a los larguísimos y desnudos corredores que llevan hasta la Basílica.

La explanada, la arquería y la puerta posterior de acceso a la Basílica fueron construidas en 1956 por la empresa Huarte.

En contraste con la solemnidad de la explanada es recomendable, acabada la visita, considerar de nuevo los valores paisajistas del Valle, aunque sea en breves paradas por las carreteras que unen sus diferentes puntos y en la que nos conduce, de nuevo, hacia el mundo exterior.

La explanada del Monasterio y el Centro de Estudios Sociales desde la Cruz*. ▲   57

La Cruz y la entrada posterior a la Basílica con la explanada entre el Monasterio y el Centro de Estudios Sociales*. ▶

Bibliografía

ANDRADA PFEIFFER, Ramón: "Funicular del Valle de los Caídos", *Reales Sitios*, nº 47 (1976), pp. 65-72.

BONET CORREA, Antonio: "El crepúsculo de los dioses", en BONET CORREA, Antonio (coord.): *Arte del franquismo*, Cátedra, Madrid, 1981, pp. 315-330.

CIRICI, Alexandre: *La estética del franquismo*, Gustavo Gili, Barcelona, 1977, pp.112- 124.

DOMÉNECH, Luis: *Arquitectura de siempre. Los años cuarenta en España*, Tusquets (*Cuadernos Ínfimos*, 83), Barcelona, 1978, pp. 46, 50, 68 y 72.

JUNQUERA DE VEGA, Paulina, y HERRERO CARRETERO, Concha: *Catálogo de Tapices del Patrimonio Nacional. Vol. I: Siglo XVI.* Patrimonio Nacional, 1986, pp. 54-62.

MADRAZO, Pedro de: "Tapicería llamada del Apocalipsi...", *Museo Español de Antigüedades*, Madrid, 1880, pp. 283-419.

MARCHÁN FIZ, Simón: "El Valle de los Caídos como monumento del nacional-catolicismo", *Guadalimar*, nº 19, enero 1977.

MÉNDEZ, Diego: *El Valle de los Caídos. Idea, proyecto y construcción.* Fundación de la Santa Cruz del Valle de los Caídos, Madrid, 1982.

MORENO, Juan: "En el Valle del nacional-catolicismo", *Triunfo*, n° 721, noviembre 1976.

Santa Cruz del Valle de los Caídos (Guía), Patrimonio Nacional, Madrid, 1963, 1972, 1983 (diversas ediciones corregidas y aumentadas) y 1985.

SANCHO, José Luis: *La Arquitectura de los Sitios Reales. Catálogo Histórico de los Palacios, Jardines y Patronatos Reales del Patrimonio Nacional*, Patrimonio Nacional - Fundación Tabacalera, Madrid, 1996.

SUEIRO, Daniel: *La construcción del Valle de los Caídos*, Sedmay ed., Madrid, 1976.

Este libro, editado por el Patrimonio Nacional, se terminó de imprimir el 15 de octubre del 2005, en Madrid, en Artes Gráficas Palermo, S.L.